Анна Зайцева

ВЫШИВАЕМ ЛЕНТАМИ

Коллекция идей
«Мой прекрасный сад»

ЭКСМО

Москва
2012

УДК 689
ББК 37.248
З-12

Фото, дизайн макета, обложки и верстка: *Наталия Долина*

Сайт автора: *annazayzeva.ru*

Зайцева А. А.

З-12   Вышиваем лентами: коллекция идей «Мой прекрасный сад» / Анна Зайцева. — М. : Эксмо, 2012. — 80 с. : ил.

ISBN 978-5-699-57158-1

Мягкие линии рисунка, завораживающие переходы цвета и объем — все это делает картины, вышитые лентами, удивительно изящными и многогранными. Кроме того, такая техника вышивки позволяет создать даже самое сложное изделие в считаные часы.

В своей новой книге известный российский дизайнер Анна Зайцева представляет замечательную коллекцию картин для вышивки лентами «Мой прекрасный сад». Кроме самих изделий, каждое из которых сопровождается цветной схемой-шаблоном и пошаговыми описаниями, вы найдете информацию о технологии этой разновидности вышивания, что сделает вашу работу приятной, а результат вдохновляющим.

УДК 689
ББК 37.248

ISBN 978-5-699-57158-1

Оглавление

Введение

Шелковые ленты – просто, быстро, эффектно

Старинное искусство вышивки лентами необычайно привлекательно и в наши дни. Почувствуйте прелесть мягких линий рисунка, переходов цвета на сгибах и в складках этих тонких полосок ткани.

Особенно красивыми получаются природные мотивы. Вышивка выглядит объемной, цветы и листья кажутся живыми. Ленты позволяют не только придать объем рисунку, но и передать природные сочетания цветов и оттенков, особенно если использовать ленты с переходом цвета.

В вышивке лентами не бывает двух одинаковых работ. Каждый стежок неповторим, а потому и изделие в целом, даже выполненное по готовому рисунку, будет единственным в своем роде.

Чтобы вышивать лентами, достаточно освоить несколько совсем не сложных приемов. Комбинации различных швов и стежков позволяют создавать нескончаемое количество мотивов, простая смена цветов и ширины лент позволяет вышить одним и тем же стежком самые разные сюжеты. Так, в этой книге все работы выполнены одним набором лент.

В наши дни искусство вышивки лентами переживает настоящий бум. Это связано не только с доступностью материалов, простотой техники, но и с основным преимуществом этого вида вышивки – даже самую сложную работу можно выполнить за считаные часы.

Выберите рисунок, подберите ленты и ткань для вышивки, приготовьте иглы, найдите немного времени и приступайте к созданию изумительных по красоте изделий. Ваш безупречный вкус и фантазия помогут создать настоящие произведения искусства.

Глава I

Инструменты и материалы

Вышивка лентами – приятное и на редкость простое рукоделие. Но еще приятнее оно будет, если использовать материалы и инструменты должного качества.

Что нужно для вышивки лентами

В нашей стране до недавнего времени можно было приобрести только атласные синтетические ленты. Многие пробовали вышивать ими. В этой книге все проекты выполнены лентами из натурального шелка.

Ленты из натурального шелка, в отличие от привычных нам атласных, дают матовую фактуру. Они прекрасно держат форму стежка, и в то же время они настолько тонкие, что позволяют вышивать даже самые мелкие детали. В вышивке лентами используют различные **нитки**. Предпочтительно использовать шелковые нитки. Особенно хорошо, если эти нитки тонкие, чтобы можно было вышивать в одно или несколько сложений. Толстые нитки тоже подойдут, если они скручены из нескольких нитей, наподобие мулине. В этом случае пасму можно разделить и выполнить вышивку в одно или несколько сложений. Для вышивки лентами можно использовать любую ткань. Если ткань слишком тонкая или рыхлая, ее можно усилить прокладкой – еще одним слоем ткани. Идеальным вариантом для основы и прокладки служат **смесовые ткани с прямым переплетением**. Они имеют достаточную плотность и в то же время довольно тонкие. Лента в процессе вышивки через такую ткань проходит свободно.
Для вышивки лентами предпочтительно использовать **специальные иглы «синель»**. Эти иглы имеют треугольную форму и длинное ушко, что позволяет проводить ленту

Шелковые ленты

Ткань для вышивки

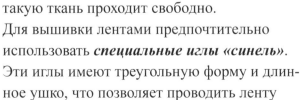

Нитки «ирис»

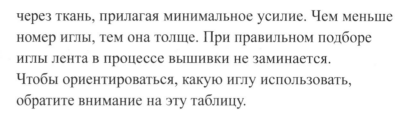

через ткань, прилагая минимальное усилие. Чем меньше номер иглы, тем она толще. При правильном подборе иглы лента в процессе вышивки не заминается. Чтобы ориентироваться, какую иглу использовать, обратите внимание на эту таблицу.

Таблица соответствия ширины лент и игл «синель»

№ иглы	ширина ленты
13	19–32 мм
14	13 мм
16	10 мм
18	4–7 мм
20	4 мм
22	2–4 мм
24	2 мм

Нитки шелковые

Некоторые иглы подходят для лент разной ширины. Подберите номера, которыми вам будет удобнее вышивать. Для некоторых швов вам понадобится обычная **швейная игла с длинным ушком**.

Для удобства работы вам понадобятся **пяльцы**.

Наиболее удобны пяльцы такого размера, чтобы, закрепив в них ткань, вы могли уместить внутри весь рисунок вышивки.

Обрезать кончики лент и ниток удобно **маленькими ножницами**.

Готовую вышивку, прежде чем вставить в рамку, нужно натянуть на **подрамник**. Все мотивы в этой книге выполнены под стандартный размер рамки. Рамку вы легко сможете подобрать самостоятельно.

Маленькие ножницы

Булавки

Пяльцы

Практические советы

Качество вашей вышивки напрямую зависит от подготовки ткани и лент, переноса рисунка вышивки на ткань и правильного оформления готового изделия. Следуя рекомендациям, приведенным в книге, вы с легкостью освоите процесс вышивания, а результат превзойдет даже самые смелые ожидания.

Выберите в книге любой рисунок вышивки. Перенесите рисунок на ткань. Если вы никогда не вышивали лентами, постарайтесь перенести рисунок особенно тщательно, так как новичку бывает трудно соотнести величину стежков и деталей рисунка.

Если вы опытная вышивальщица, достаточно просто наметить основные линии выбранного рисунка и, руководствуясь фотографией изделия и описанием вышивки, выполнить работу. Рисунок будет немного отличаться от оригинала, но это и есть самое замечательное в вышивке лентами: два одинаковых изделия вышить невозможно.

Вам нужно подобрать раму и, возможно, паспарту. Если вы не уверены в своих силах, обратитесь в багетную мастерскую – мастера помогут вам оформить изделие. Многие предпочитают закрывать вышитые работы специальным стеклом: так вышивка не пылится и не выцветает. Другие рукодельницы считают, что стекло «убивает» вышивку, лишает зрителя возможности почувствовать ее фактуру, тончайшие переходы цвета, делает рисунок плоским и неинтересным. В любом случае, выбор всегда остается за вами.

И, наконец, выполняйте простые правила по уходу за вышивкой:

1. Не подвергайте готовую работу прямому воздействию солнечных лучей.

2. Не размещайте готовую работу в помещениях с агрессивной средой, например, на кухне или в ванной комнате.

3. В случае необходимости просто смахните пыль с вышивки сухой мягкой кистью.

Глава 2

Приемы работы

От подготовки ткани и лент, закрепления лент и ниток, а также оформления готовой вышивки зависит очень многое. Чтобы работа выглядела аккуратно, соблюдайте простейшие правила и рекомендации.

Подготовка основы вышивки

Правильная подготовка основы и перенос рисунка – половина успеха вашей работы. Ткань-основа должна быть туго натянута в пяльцах, а рисунок – четко просматриваться на ткани.

1. Перед началом работы прогладьте ткань-основу и прокладку утюгом, выставив терморегулятор в соответствующее положение.

2. Переведите рисунок выбранного мотива на бумагу.

3. Шилом или толстой иглой сделайте на рисунке проколы в точках начала и окончания каждого стежка.

4. Поместите ткань-основу на твердую ровную поверхность.

5. Положите рисунок на ткань, разместив его посередине.

6. Закрепите рисунок на основе с помощью швейных булавок.

7. Остро отточенным карандашом отметьте на основе точки начала и окончания стежков. Для этого просто вставьте грифель карандаша в соответствующий прокол и слегка поверните карандаш вокруг оси. Обведите на ткани контур будущего изделия.

8. Снимите рисунок с основы.

9. Внутреннее кольцо пялец положите на ровную поверхность. Совместите стороны ткани-основы и прокладки так, чтобы лицевая сторона ткани-основы была сверху, и наложите на внутреннее кольцо прокладкой вниз.

10. Опустите внешнее кольцо пялец сверху, чтобы кольца совпадали. В том месте, где будет располагаться разъем кольца, проложите кусочек ткани, сложенной в 2–3 раза. Это предохранит основу от деформации.

11. Слегка надавите на внешнее кольцо, чтобы внутреннее полностью в него вошло. Затяните регулировочный винт, фиксируя ткань в пяльцах.

12. Возьмите пяльцы в руки и поверните прокладкой к себе. Аккуратно подтяните прокладку на себя сначала сверху, потом снизу, слева и справа – и так до тех пор, пока ткань не будет полностью расправлена. Немного подтяните регулировочный винт.

13. Поверните пяльцы основой к себе и подтяните основу так же, как вы подтягивали прокладку. Закрутите регулировочный винт как можно туже.

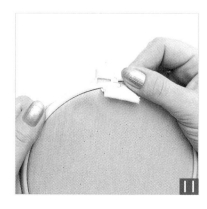

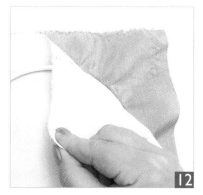

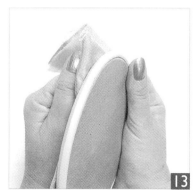

Подготовка лент

Шелковые ленты – довольно капризный материал. При вышивании они могут расслаиваться, а по краям образуется некрасивая бахрома. Чтобы избежать этих неприятностей, ленты нужно правильно подготовить к работе.

1. Прогладьте ленты, выставив терморегулятор утюга на положение «шелк». Ленты удобнее гладить, просто протягивая их под подошвой утюга.

2. Отрежьте кусок ленты нужного цвета длиной примерно 40–45 см.

3. Обрежьте кончик ленты уголком.

4. Вставьте кончик в ушко иглы и проткните ленту на расстоянии 0,5 см от основания среза.

5. Протяните иглу через ленту и затяните образовавшуюся петлю.

 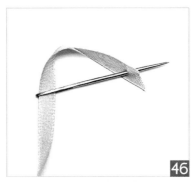 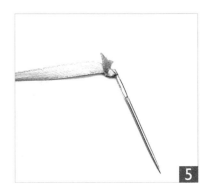

Закрепление ниток и лент

Чтобы вышивка радовала вас долгие годы, необходимо правильно закрепить ленты и нитки в начале и конце работы.

1. Нитки. В начале работы при вышивании ниткой в одно сложение просто сделайте узелок на длинном конце нитки.

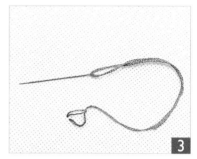

2. При вышивании ниткой в два сложения проденьте в ушко иглы оба кончика нитки и немного протяните их через ушко. На рабочем конце нитки образуется петля.

3. Выведите иглу с изнаночной стороны ткани на лицевую, потяните нитку, оставляя петлю на изнаночной стороне, и снова выведите иглу на изнаночную сторону через петлю. Затяните стежок.

4. В конце работы выведите иглу на изнаночную сторону ткани.

5. Сделайте 1–2 стежка петельного шва (см. стр. 16), после чего обрежьте нитку.

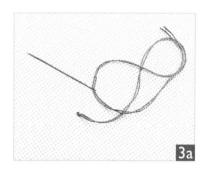

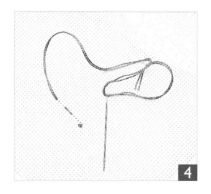

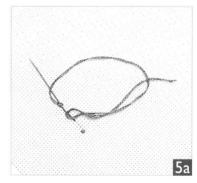

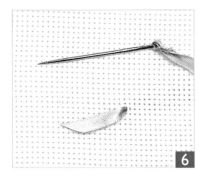

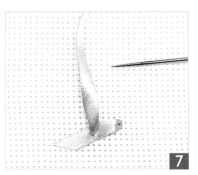

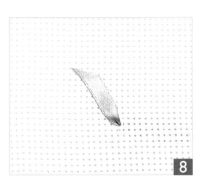

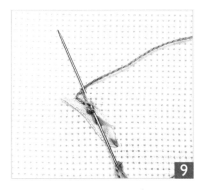

6. Ленты. Выведите ленту с изнаночной стороны ткани на лицевую, оставив на изнанке хвостик примерно 2 см длиной.

7. Сделайте первый стежок рисунка так, чтобы при выходе на изнаночную сторону игла проткнула этот хвостик. Аккуратно протяните ленту одновременно через ткань и хвостик ленты.

8. В конце работы выведите ленту на изнаночную сторону ткани и обрежьте на расстоянии 2 см от поверхности.

9. Закрепите ленту ниткой, сделав несколько стежков петельного шва.

Оформление работы

Очень важна для восприятия работы в целом рамка, в которую вы вставите готовую вышивку. Подберите рамку в одном стиле с мебелью в комнате, где будет висеть изделие, или используйте рамку, подходящую по цвету к самой вышивке.

1. Подберите раму нужного размера. Если у рамки есть картонный задник, выньте его.
2. Выньте вышивку из пялец и прогладьте утюгом замятые места.

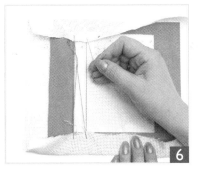

3. Натяните вышивку на подрамник. Для этого положите основу поверх подрамника так, чтобы вышивка располагалась посередине.

4. Аккуратно, не сдвигая ткань, поверните вышивку и подрамник нижней стороной к себе.

5. Загните концы ткани на нижнюю сторону по двум противоположным сторонам подрамника.

6. Закрепите положение ткани длинными стежками.

7. Так же закрепите ткань по двум другим сторонам подрамника.

8. Вставьте готовую работу в рамку.

9. Вставьте на место картонный задник.

Если рамка была без задника, заклейте ее нижнюю сторону полосками бумажного скотча.

Глава 3

Вышивальные швы

Вышивальные швы, а особенно те, что выполняют лентами, могут сильно различаться в зависимости от манеры работы мастерицы. Здесь вы найдете рекомендации по выполнению основных швов и стежков, но придумать новые или изменить уже существующие в ваших силах.

Швы, выполняемые нитками

Некоторые швы вам придется выполнять нитками. Среди них есть основные декоративные и вспомогательные, например, петельный шов, необходимый для закрепления лент на основе.

Шов «вперед иголку»

1. Проденьте нитку в игольное ушко и завяжите узелок на конце нитки.

2. Выведите иглу с изнаночной стороны ткани на лицевую, протяните нитку до узелка и введите иглу в ткань на расстоянии 7–8 мм от места выхода. Затяните стежок.

3. Снова выведите иглу с изнаночной стороны на лицевую на расстоянии 7–8 мм от предыдущего прокола и протяните нитку на лицевую сторону.

4. Повторяйте стежки по всей длине шва.

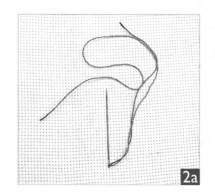

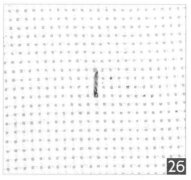

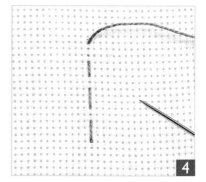

Шов «сетка»

1. Проложите длинные параллельные стежки шва «вперед иголку» на небольшом расстоянии друг от друга.

2. Переплетите полученную основу перпендикулярными стежками.

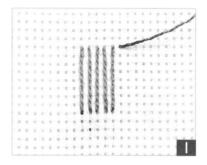

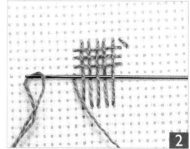

Шов «ромб»

1. Выполните короткий стежок шва «вперед иголку».

2. Второй стежок сделайте перпендикулярно первому чуть дальше середины.

3. Третий стежок выполните перпендикулярно второму, также чуть дальше середины.

4. Аналогично выполните четвертый перпендикулярный стежок.

5. Продолжайте выполнять шов, пока не заполните участок нужной величины.

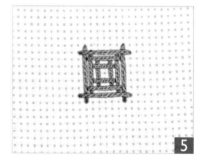

Шов вприкреп

1. Первый слой. Проложите шов «вперед иголку» в одну сторону, а затем в обратную. Делайте стежки второго ряда так, чтобы проколы обоих швов совпадали. Такой шов еще называют *имитацией машинной строчки*.

2. Второй слой. На расстоянии 2–3 мм от начала первого ряда шва выведите

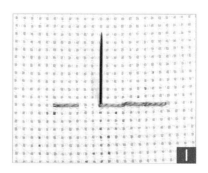

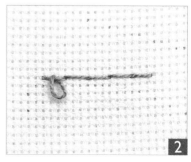

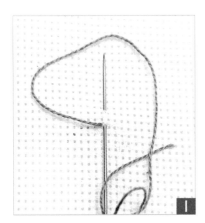

иглу с изнаночной стороны ткани на лицевую как можно ближе к стежку. Введите иглу в тот же прокол с лицевой стороны, чтобы нитка стежка осталась в петле. Затяните петлю.

3. Делайте петли-прикрепки по всей длине шва на расстоянии 2–3 мм друг от друга.

Петельный шов

1. Выведите иглу с изнаночной стороны ткани на лицевую. Снова введите ее в ткань на расстоянии 1 мм от первого прокола. Не протаскивая иглу через ткань, выведите ее кончик на лицевую сторону на расстоянии 3–4 мм от места входа перпендикулярно к линии шва.

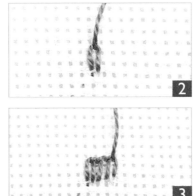

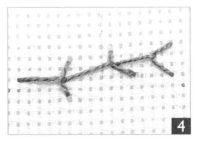

2. Подведите образовавшуюся петлю под кончик иглы и затяните стежок.

3. Повторяйте стежки по всей линии шва.

Шов «полупетля»

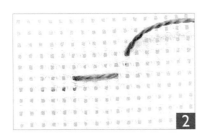

1. Выполните первый стежок, как для шва «вперед иголку».

2. Выведите иглу на лицевую сторону ткани на расстоянии 3–4 мм слева от стежка немного дальше его окончания.

3. Проведите иглу под стежком и введите в ткань справа от стежка немного дальше его окончания. Затяните второй стежок.

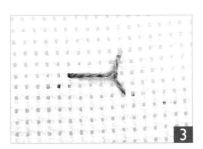

4. Выведите иглу на лицевую сторону ткани в конце первого стежка. Повторите второй стежок.

Шов «вперед иголку» с навивкой

1. Начало. Проложите шов – имитацию машинной строчки по всей длине вышиваемого элемента.

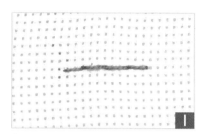

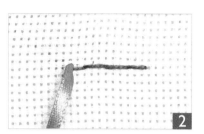

2. Навивка. Выведите иглу с ниткой или лентой на лицевую сторону основы рядом с первым проколом первого стежка.

3. Обвейте первый стежок одним или несколькими витками нитки или ленты.

4. Продолжайте обвивать все стежки шва «вперед иголку» ниткой или лентой, пока не закончите весь элемент.

Французский узелок

1. Выведите иглу с изнаночной стороны ткани на лицевую.

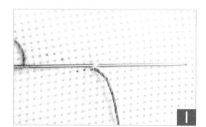

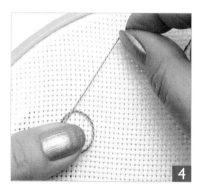

2. Сделайте иглой, не протягивая ее через ткань, двойной прокол с расстоянием 1–2 мм, как для петельного шва.

3. Ниткой, выходящей из ткани, сделайте 2–3 навивки на кончике иглы.

4. Протяните иглу через эти навивки. Придерживайте навивки, прижимая иглу к поверхности ткани.

5. Введите иглу в ткань на расстоянии 1–2 мм от двойного прокола и затяните стежок.

17

Швы, выполняемые лентами

Швы лентами иногда напоминают швы, выполненные нитками. Но конечный результат выглядит совершенно по-другому. В некоторых швах лентами вам понадобятся нитки, чтобы придать форму или закрепить стежок.

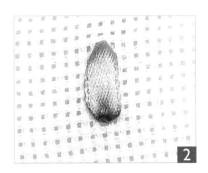

Прямой стежок и его разновидности

1. Выведите иглу с заправленной в нее лентой с изнаночной стороны ткани на лицевую. Расправьте ленту и выполните стежок шва «вперед иголку». Затяните ленту.

2. Если не затягивать ленту, выполнив стежок, то получится *прямой свободный стежок*.

3. Если вы сделаете стежок так, чтобы расстояние между проколами было 2–3 мм, а высота стежка – 5–7 мм, вы получите *шов «петля»* лентами.

4. Ленту, выведенную на лицевую сторону, перекрутите 1–2 раза, после чего выполните стежок. Такой стежок называется *прямой перекрученный*.

5. Выполните прямой перекрученный стежок нужной длины. Закрепите положение ленты, выполнив одну или несколько прикрепок той же лентой. Это *прямой перекрученный стежок с прикрепкой*.

6. Выполните длинный свободный перекрученный стежок. Примерно посередине закрепите ленту на ткани прикрепкой из той же ленты или незаметным стежком «вперед иголку» тонкой ниткой в цвет. Такой стежок называется *прямой со смещением*.

7. Выполните прямой стежок нужной длины. Выведите иглу на лицевую сторону и обкрутите стежок ниткой или лентой. Снова выведите иглу на изнаночную сторону. Это *прямой стежок с навивкой*.

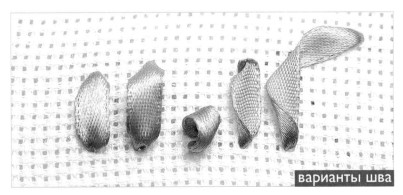

варианты шва

Шов «колос»

1. Начертите на ткани осевую линию по длине колоса. Поставьте на ней точки на одинаковом расстоянии (примерно 5 мм) друг от друга. Справа и слева от всех точек, кроме нижней и верхней, поставьте парные внешние точки на расстоянии 5–7 мм от осевой.

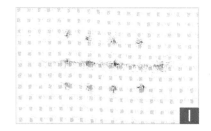

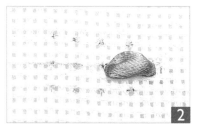

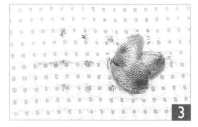

2. Выведите иглу с лентой на лицевую сторону ткани во второй точке от верха колоса. Проложите прямой стежок к верхней точке.

3. Выведите иглу в следующей точке на осевой линии и поочередно прямыми стежками соедините ее с первыми верхними парными внешними точками.

4. Снова выведите иглу на лицевую сторону в следующей точке на осевой линии и повторите прием. Дошейте колос по всей длине.

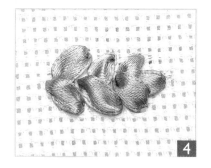

Ленточный стежок и его разновидности

1. Выведите иглу с лентой на лицевую сторону ткани. Расправьте ленту, согните ее на себя, делая сгиб по длине стежка.

2. Введите иглу в середину ленты на расстоянии 2–3 мм от сгиба.

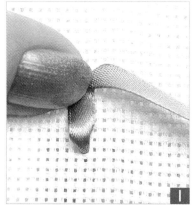

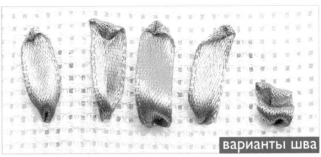

3. Затяните стежок.

4. Перед сгибанием подложите под ленту зубочистку и выполните *свободный ленточный стежок*.

5. После сгибания ленты выведите иглу справа или слева от центра. Такой стежок называется *ленточный со смещением*.

6. Выведите ленту на лицевую сторону и перекрутите 1–2 раза. Выполните ленточный стежок. Это *ленточный перекрученный стежок*.

7. Если длина стежка составляет 2–3 мм, вы получаете *укороченный ленточный стежок*, напоминающий французский узелок.

Шов «петля» с прикрепкой лентами

1. Выведите иглу с лентой на лицевую сторону ткани.

2. На расстоянии 1–2 мм от прокола выполните двойной прокол, как для петельного шва.

3. Подведите ленту, идущую из ткани, слева под кончик иглы, расправьте ее и протяните иглу с лентой, затягивая стежок.

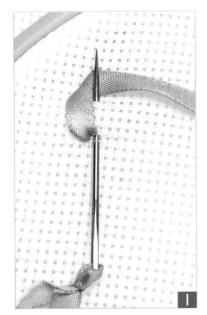

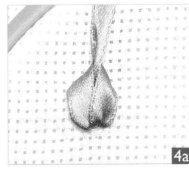

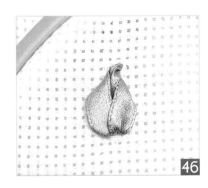

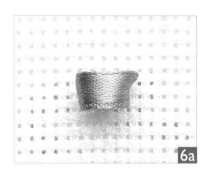

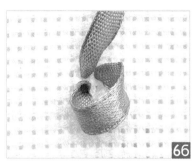

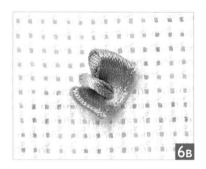

4. Сделайте прикрепку в месте сгиба петли той же лентой. Это разновидность шва называется ***«листик»***.

5. Вы можете выполнить шов по-другому. Сделайте свободную «петлю» лентой.

6. Выведите иглу на лицевую сторону в середине петли. Выполните прикрепку. Этот шов называется ***«цветок»***.

Шов «захват»

1. Выполните петлю, как для шва «петля» с прикрепкой.

2. Выведите иглу на лицевую сторону ткани на расстоянии 2–3 мм от стежка шва «петля». Протяните ленту через ткань.

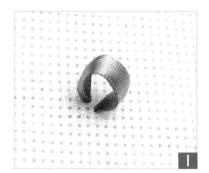

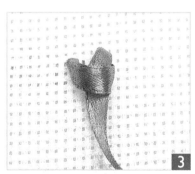

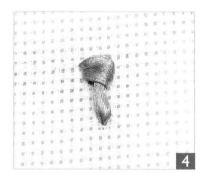

3. Проведите иглу через петлю сверху вниз и затяните стежок шва «петля», аккуратно расправив ленту.

4. Выполните прямой стежок нужной длины по направлению рисунка.

Шов «ягода» (крест объемный)

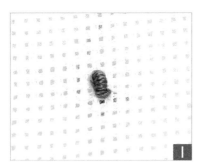
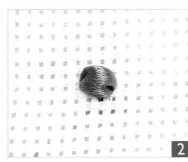
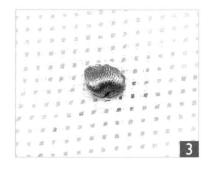

1. Выполните французский узелок в 4–5 навивок толстой нитью.

2. Выполните первый короткий стежок шва «крест» лентой, полностью закрывая французский узелок.

3. Выполните лентой второй стежок шва «крест».

4. Расправьте ленту, формируя небольшой шарик.

Узелок «рококо»

1. Выведите иглу с лентой на лицевую сторону ткани.

2. Сделайте одну навивку по часовой стрелке.

3. Протяните иглу с лентой через навивку. Немного затяните шов. Приложите получившийся узелок к поверхности ткани.

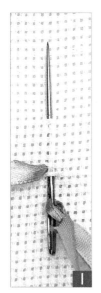

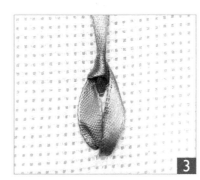
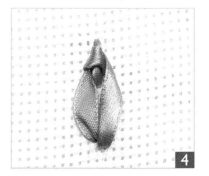

4. Выведите иглу с лентой на изнаночную сторону ткани, сделав прокол в конце полученного узелка.

Колониальный узелок

1. Выведите иглу с лентой с изнаночной стороны ткани на лицевую.

2. Поместите иглу поверх ленты под небольшим углом.

3. Перекрутите ленту движением против часовой стрелки, используя иглу как направляющую.

4. Обвейте конец иглы лентой по часовой стрелке и выведите конец с левой стороны.

5. Протяните ленту через навивку, придерживая навивку пальцем.

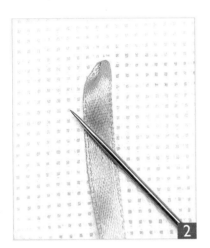
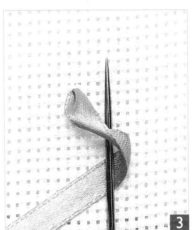
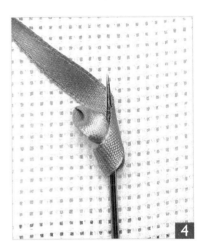

6. Выведите иглу на изнаночную сторону ткани, сделав второй прокол на расстоянии 1–2 мм от первого.

7. Несильно затяните узелок.

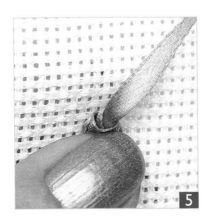

Шов «бутон»

1. Проложите прямой стежок длиной чуть больше ширины используемой ленты.

2. Выведите иглу на лицевую сторону на расстоянии 2–3 мм от конца стежка.

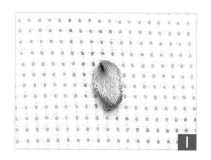

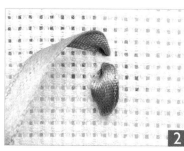

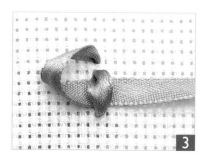

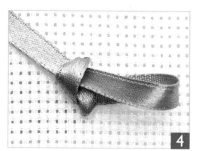

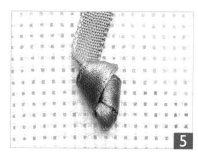

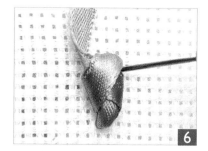

3. Проведите ленту слева направо под прямым стежком.

4. Проведите ленту под образовавшейся петлей.

5. Расправьте ленту и переверните ее к себе.

6. Выведите ленту с лицевой на изнаночную сторону на расстоянии 2–3 мм от верхнего прокола и несильно затяните стежок.

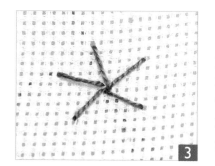

Шов «паутинка» (роза на каркасе)

1. Каркас. Отметьте на ткани точки проколов для каркаса – центральную и пять внешних, расположенных на равном расстоянии друг от друга и от центра. Выведите иглу с заправленной в нее тонкой ниткой в центральной точке с изнаночной стороны ткани на лицевую.

2. Сделайте один стежок швом «вперед иголку», соединяя центральную точку и одну из внешних.

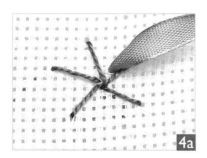

3. Снова выведите иглу на лицевую сторону ткани через центральную точку. Выполните второй стежок швом «вперед иголку», соединив центральную и соседнюю внешнюю точки. Таким же способом соедините центральную точку со всеми внешними.

4. Навивка. Вставьте в иглу для вышивки лентами ленту и выведите ее на лицевую сторону ткани на расстоянии 1–2 мм от центральной точки. По часовой стрелке проведите иглу над ближайшим стежком каркаса и под соседним. Протяните ленту, немного натягивая навивку.

5. Проводите иглу через один стежок под стежком, подтягивая навивку до тех пор, пока весь каркас не будет закрыт навивками лентой.

Шов «бант»

1. На ткани-основе наметьте точки начала и окончания стежков для петель, концов и узелка банта.

2. Для петель банта в центре основы между точками для узелка выполните 1–2 стежка швом «петля». Если вы делаете два стежка, они должны быть одинаковой длины.

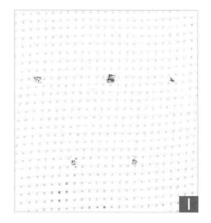

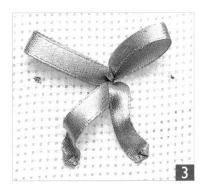

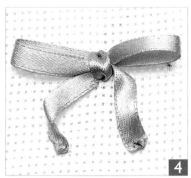

3. Концы банта вышейте свободными ленточными стежками.

4. Узелок банта вышейте прямым стежком. В случае необходимости повторите стежок, чтобы придать узелку объем.

Цветок из собранной ленты

1. Возьмите кусочек ленты длиной в 7–10 раз больше ее ширины.

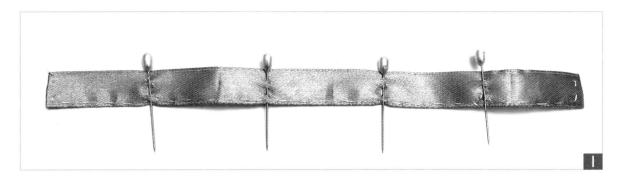

2. По краю ленты проложите шов «вперед иголку» по изображенному на рисунке контуру. Начните с внешней стороны будущего цветка, шейте по диагонали до пересечения с противоположной стороной, потом вдоль стороны, вверх под прямым углом, вниз и т.д., располагая выступы-пики на одинаковом расстоянии друг от друга. Высоту пиков также делайте одинаковой, примерно на 2/3 ширины ленты.

3. Стяните нитку и закрепите концы ленты двумя-тремя стежками.

Роза «плиссе»

1. Согните под прямым углом на себя конец ленты длиной примерно 10 см.

2. Загните конец ленты назад вверх.

3. Загните ленту назад влево.

4. Загните конец ленты назад вниз.

5. Загните ленту назад вправо.

6. Продолжайте складывать ленту, пока не выполните 17–20 сложений.

7. Сложите концы ленты вместе и зажмите их пальцами. Отпустите складки. У вас получилась цепочка.

8. Потяните за ленту, сосборивая полученную цепочку.

9. Закрепите концы ленты и лепестки розы несколькими незаметными стежками.

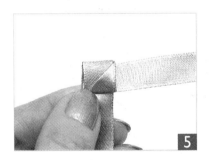

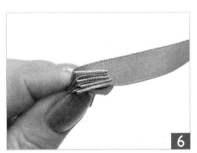

Глава 4

Цветочные мотивы

Ленты из натурального шелка имеют приятную матовую фактуру. На сгибах лент возникают мягкие переходы цвета, что позволяет добиваться почти полной передачи красок живой природы. Не случайно самые распространенные мотивы в вышивке лентами – цветочные композиции.

Букет «Люпины»

Традиционная форма цветочной композиции – букет. Такой мотив может состоять из различных или одинаковых цветков, букет можно «перевязать» бантом, добавить мелкие веточки аспарагуса или украсить фактурными листьями.

Материалы и инструменты:

◆ ленты шириной 2 мм: зеленые травяные
◆ ленты шириной 4 мм: белые, фиолетовые, сиреневые, розовые, малиновые, зеленые темные, зеленые травяные, зеленые светлые
◆ ленты шириной 13 мм: красные
◆ шелковые нитки: сине-зеленые, желто-зеленые
◆ ткани: для основы вышивки зеленоватая; для прокладки белая
◆ иглы: «синель» № 24, № 22, № 18, № 14; игла швейная
◆ пяльцы
◆ маленькие ножницы
◆ подрамник из плотного картона

Вышивальные швы:

◆ шов «вперед иголку»,
◆ шов вприкреп,
◆ шов «полупетля»,
◆ петельный шов,
◆ прямой стежок,
◆ прямой перекрученный стежок с прикрепкой,
◆ шов «колос»,
◆ свободный ленточный стежок,
◆ свободный ленточный стежок со смещением,
◆ шов «бант»

Схема вышивки:

◆ см. стр. 70

Подготовка к вышивке

1. Подготовьте ткань для основы и прокладки и необходимые для вышивки ленты и нитки.

2. Перенесите рисунок вышивки на ткань-основу.

3. Закрепите ткань для основы и прокладки в пяльцах.

Вышивка

1. Орнаментальная основа. Толстой шелковой желто-зеленой ниткой вышейте вертикальный орнамент швом вприкреп.

2. Верхушки соцветий люпина. Верхнюю часть соцветия люпина вышейте травяной зеленой шелковой лентой 2 мм швом «колос».

Совет
Чтобы придать большую достоверность изображению, немного измените шов «колос»: делайте дополнительные стежки по центру, перекрывая парные стежки шва.

3. Среднее соцветие люпина. Для среднего соцветия люпина возьмите сиреневую ленту 4 мм. Выполните два ряда ленточных стежков, располагая их по три в ряду. Стежки выводите из одной точки, под небольшим углом друг к другу.

4. Третий ряд из трех стежков выполните свободными ленточными стежками той же лентой.

5. Все следующие ряды выполняйте свободными ленточными стежками со смещением, располагая крайние стежки в горизонтальном направлении, а средний – в вертикальном. Точки начала стежков должны отстоять друг от друга на 2–3 мм.

6. Зеленой травяной лентой 2 мм выполните околоцветники короткими прямыми стежками.

7. Левое соцветие люпина. Левое соцветие люпина вышейте, как среднее, используя для верхних цветков фиолетовую, а для нижних – малиновую шелковые ленты 4 мм.

8. Правое соцветие люпина. Начните вышивку, как для среднего соцветия, используя белую шелковую ленту 4 мм.

9. Нижние цветки вышейте, используя белую и розовую шелковые ленты 4 мм.

10. Для каждого цветка выполните свободный ленточный стежок со смещением розовой лентой, а потом повторите стежок белой лентой.

Совет

Старайтесь немного менять направление и длину стежка, чтобы розовая лента немного выглядывала из-под белой. Так вы добьетесь перехода цвета: шелковая лента тонкая, и более яркие нижние стежки просвечивают через верхние. Розовая «кайма» по краю цветка придаст ему дополнительную выразительность.

11. Листья люпина. Вышейте листья люпина прямыми стежками. Для левого листа используйте темно-зеленую, а для правого – зеленую травяную ленты 4 мм.

12. Стебли люпина. Вышейте стебли люпина длинными прямыми перекрученными стежками с прикрепкой. Используйте зеленую травяную ленту 2 мм.

13. Веточки аспарагуса. Дополните композицию веточками аспарагуса, вышив их сине-зеленой шелковой ниткой в одно сложение швом «полупетля».

14. Нижнюю часть веточек вышейте той же ниткой швом вприкреп.

15. Бант. Красной лентой 13 мм выполните бантик швом «бант».

Оформление работы

1. Снимите вышивку с пялец. Прогладьте основу горячим утюгом.

2. Натяните основу на подрамник из плотного картона.

3. Вставьте готовую работу в рамку.

Букет «Весенние цветы»

Цветы в букете можно располагать ярусами, придавая композиции большую плотность. Темные насыщенные оттенки утяжеляют, а светлые – облегчают зрительное восприятие вышивки, поэтому букет с переходом от светлых к темным цветам выглядит уравновешенным.

Материалы и инструменты:

◆ ленты шириной 2 мм: зеленые травяные, желтые
◆ ленты шириной 4 мм: белые, желтые, фиолетовые, сиреневые, розовые, малиновые, зеленые темные, зеленые травяные, зеленые светлые
◆ ленты шириной 13 мм: красные
◆ шелковые нитки: желто-зеленые
◆ ткани: для основы вышивки зеленоватая; для прокладки белая
◆ иглы: «синель» № 24, № 22, № 18, № 14; игла швейная
◆ пяльцы
◆ маленькие ножницы
◆ подрамник из плотного картона

Вышивальные швы:

◆ шов «крест»,
◆ шов вприкреп,
◆ петельный шов,
◆ прямой стежок,
◆ прямой свободный стежок,
◆ шов «петля» лентами,
◆ прямой перекрученный стежок с прикрепкой,
◆ ленточный стежок,
◆ свободный ленточный стежок,
◆ ленточный стежок со смещением,
◆ ленточный стежок перекрученный,
◆ укороченный ленточный стежок,
◆ шов «петля» с прикрепкой лентами («листик»),
◆ шов «бант»

Схема вышивки:

◆ см. стр. 71

Подготовка к вышивке

1. Подготовьте ткань для основы и прокладки и необходимые для вышивки ленты и нитки.

2. Перенесите рисунок вышивки на ткань-основу.

3. Закрепите ткань для основы и прокладки в пяльцах.

Вышивка

1. Орнаментальная основа. Толстой шелковой желто-зеленой ниткой вышейте веерообразный орнамент швом вприкреп.

Совет

Шелковая нитка окрашена с переходом цвета. Это позволяет подобрать цвета так, чтобы подчеркнуть переход от светлого к темному, свойственный всей композиции букета.

2. Ландыш. Для цветков ландыша используйте белую шелковую ленту 4 мм.

3. Закрытый бутон ландыша вышейте, проложив прямой стежок от основания к концу бутона. Чтобы бутон получился пышным, поверх первого стежка выполните прямой свободный стежок, сделав его чуть длиннее первого.

4. Полуоткрытый бутон вышейте двумя свободными ленточными стежками со смещением, выводя их из одной точки и заканчивая на небольшом расстоянии друг от друга.

5. Раскрытые цветки ландыша вышивайте тремя свободными ленточными стежками. Крайние два выполните со смещением, а потом частично перекройте их третьим стежком.

6. Желтой шелковой лентой 2 мм выполните тычинки раскрытых цветков ландыша, сделав по 2–3 укороченных ленточных стежка в нижней части цветков.

7. Вышейте стебель ландыша прямым перекрученным стежком с прикрепкой зеленой травяной лентой 2 мм.

8. Этой же лентой вышейте маленькие веточки, на которых крепятся цветки. Используйте прямые перекрученные стежки с прикрепкой.

9. Для маленьких листиков у основания веточек той же лентой выполните ленточные стежки со смещением и ленточные перекрученные стежки.

10. Желтые крокусы. Бутоны крокусов выполните желтой шелковой лентой 4 мм, делая для маленького один прямой стежок, а для большого – два, как для бутона ландыша.

11. Цветки крокусов вышейте той же лентой, выполняя по три прямых стежка для каждого. Стежки располагайте, как для цветков ландыша.

12. У основания цветков и бутонов выполните чашечки швом «крест», используя зеленую травяную ленту 2 мм.

13. Той же лентой вышейте стебли прямыми перекрученными стежками с прикрепкой.

14. Используя ту же ленту, вышейте маленькие веточки у основания цветков прямыми перекрученными стежками и листики у основания веточек свободными ленточными стежками.

15. Вышейте той же лентой несколько длинных травянистых листиков крокусов прямыми и ленточными стежками.

Совет

При выполнении ленточных стежков со смещением обратите внимание на то, как ложится лента в зависимости от смещения прокола. Для бутона ландыша вам нужно выполнить два симметричных стежка.

Совет

Чем разнообразнее выполненные стежки, тем богаче и естественнее будет фактура вышивки. Вы можете добавлять стежки и швы по своему усмотрению, главное, чтобы результат вам нравился.

Совет

Лист ландыша – фактически вариант шва «колос», только стежки длиннее и не прямые, а ленточные.

16. Листья ландыша. Для листьев ландыша используйте светлые зеленые шелковые ленты 4 мм. Выполните ленточный стежок от середины листа к его кончику.

17. Выполните парные ленточные стежки, начав их снизу на расстоянии примерно трети длины листа и закончив в середине первого стежка. Концы стежков должны располагаться на расстоянии 2–3 мм друг от друга.

18. Выполните еще один ленточный стежок от начала листа, перекрыв им парные стежки примерно наполовину.

19. Закончите вышивку двумя парными ленточными стежками от начала листа к его середине.

20. Листья медуницы. Для вышивки крупных листьев медуницы используйте травяную зеленую ленту 4 мм.

21. Выполните несколько листьев швом «петля» с прикрепкой лентами, располагая основания листьев по кругу.

22. Соцветия медуницы. Заполните внутреннюю часть круга между листьями медуницы стежками шва «петля» лентами. Используйте фиолетовые, сиреневые и малиновые шелковые ленты 4 мм.

23. Такие же петли выполните слева от крупных листьев медуницы.

24. Выполните серединки цветков укороченными ленточными стежками желтой шелковой лентой 2 мм.

25. Дополните вышивку укороченными ленточными стежками розовой шелковой лентой 4 мм, располагая их ближе к центру соцветий.

26. Этой же лентой выполните укороченные ленточные стежки справа от листьев медуницы.

27. Выполните такие же стежки в свободных местах вокруг листьев и между ними лентами, которые вы использовали для вышивания соцветия.

28. Мелкие листья. Темной зеленой лентой ленточными, свободными ленточными и свободными ленточными стежками со смещением вышейте мелкие листья на заднем плане. Располагайте стежки так, чтобы образовалась четкая граница нижней части букета.

29. Стебли и бант. Вышейте стебли цветков зеленой травяной шелковой лентой 2 мм прямыми перекрученными стежками с прикрепкой.

30. Красной лентой 13 мм выполните бантик швом «бант».

Совет

Окраска цветков в соцветии медуницы меняется от краев к центру. Раньше всего распускаются цветки по краям соцветия. К моменту, когда распускаются ярко-розовые цветки в середине, те, что по краям, уже становятся бледно-сиреневыми. При вышивании старайтесь располагать стежки лентами разных цветов именно в такой последовательности.

Оформление работы

1. Снимите вышивку с пялец. Прогладьте основу горячим утюгом.

2. Натяните основу на подрамник из плотного картона.

3. Вставьте готовую работу в рамку.

Букет «Розовая фантазия»

Классический букет из разноцветных роз оформлен в портбукетнице – специальной подставке, позволяющей не только придать букету форму, но и украсить его, дополняя композицию.

Материалы и инструменты:

◆ ленты шириной 2 мм: зеленые травяные, желтые
◆ ленты шириной 4 мм: белые, желтые, голубые, фиолетовые, сиреневые, розовые, малиновые, зеленые темные, зеленые травяные, зеленые светлые
◆ ленты шириной 13 мм: красные
◆ шелковые нитки: желто-зеленые, желто-коричневые
◆ ткани: для основы вышивки зеленоватая; для прокладки белая
◆ иглы: «синель» № 24, № 22, № 18, № 14; игла швейная
◆ пяльцы
◆ маленькие ножницы
◆ подрамник из плотного картона

Вышивальные швы:

◆ шов «крест», ◆ шов вприкреп, ◆ петельный шов,
◆ прямой стежок,
◆ прямой свободный стежок,
◆ шов «петля» лентами,
◆ прямой перекрученный стежок с прикрепкой,
◆ ленточный стежок,
◆ свободный ленточный стежок,
◆ ленточный стежок со смещением,
◆ ленточный стежок перекрученный,
◆ укороченный ленточный стежок,
◆ шов «петля» с прикрепкой лентами («листик»),
◆ шов «бант»,
◆ шов «паутинка»,
◆ узелок «рококо»,
◆ роза «плиссе»

Схема вышивки:

◆ см. стр. 72

Подготовка к вышивке

1. Подготовьте ткань для основы и прокладки и необходимые для вышивки ленты и нитки.

2. Перенесите рисунок вышивки на ткань-основу.

3. Закрепите ткань для основы и прокладки в пяльцах.

Вышивка

1. Орнаментальная основа. Толстой шелковой желто-коричневой ниткой вышейте орнамент из косых линий швом вприкреп.

2. Портбукетница. Нижнюю часть портбукетницы вышейте белой шелковой лентой длинными ленточными стежками белой шелковой лентой 4 мм.

Совет

Орнамент из толстых шелковых ниток не только позволяет придать композиции законченный вид, но и зрительно разделяет матовый фон и вышивку — так мотив выглядит более объемным.

3. Верхнюю часть вышейте теми же стежками, чередуя белую и голубую шелковые ленты 4 мм.

4. По верхней кромке портбукетницы выполните укороченные ленточные стежки голубой шелковой лентой 4 мм.

5. В центре портбукетницы выполните шов «бант» голубой шелковой лентой 4 мм.

6. Цветы и листья нижнего яруса. Выполните пять цветков роз швом «паутинка». Для двух левых исполь-зуйте сиреневую, для средней – фиолетовую, а для двух правых – малиновую шелковые ленты 4 мм.

7. Вышейте несколько мелких бутонов теми же лентами, выполняя шов «петля» с прикрепкой лентами и узелок «рококо».

8. Крайний левый бутон, вышитый малиновой лентой, дополните двумя парными свободными ленточными стежками со смещением. Это придаст бутону дополни-тельный объем.

9. У оснований бутонов проложите короткие свободные прямые стежки зелеными шелковыми лентами 4 мм: у левых бутонов темными, у правых – светлыми.

10. Этими же лентами выполните мелкие листья слева и справа. Делайте ленточные стежки, свободные ленточные стежки и ленточные стежки со смещением, чтобы при-дать композиции более естественный вид.

11. Теми же стежками зеленой травяной шелковой лентой 4 мм вышейте мелкие листья в центре.

12. Желтой шелковой лентой 4 мм выполните укороченные ленточные стежки между листьями, изображая мелкие желтые цветочки.

13. Яркие бутоны роз. Розовой шелковой лентой 4 мм вышейте второй ярус роз. Эти крупные бутоны вышивайте швом «петля» с прикрепкой лентами.

14. Отдельные бутоны для придания объема дополните парными свободными ленточными стежками.

15. У оснований бутонов выполните короткие свободные прямые стежки зелеными лентами соответствующих оттенков.

16. Крупные розы и белые цветы. Подготовьте три розы «плиссе» из красной шелковой ленты 13 мм.

17. Закрепите розы на основе.

18. Белой шелковой лентой 4 мм выполните укороченные ленточные стежки для мелких белых цветков.

19. Желто-зеленой шелковой ниткой в одно сложение вышейте стебли мелких белых цветков.

Совет

Чтобы правильно распределить оттенки лент при вышивании цветочных композиций, представьте цветы, освещенные солнцем. Более яркие оттенки лент располагайте на самых освещенных местах, а в тени вышивайте более темными лентами.

Оформление работы

1. Снимите вышивку с пялец. Прогладьте основу горячим утюгом.

2. Натяните основу на подрамник из плотного картона.

3. Вставьте готовую работу в рамку.

Гирлянда «Клематисы»

Гирлянды могут быть симметричными или иметь свободную форму. Для цветочных мотивов в природном стиле больше подходит вторая. Эта гирлянда составлена из причудливо переплетенных вьющихся растений.

Материалы и инструменты:

◆ ленты шириной 2 мм: зеленые травяные
◆ ленты шириной 4 мм: белые, фиолетовые, сиреневые, розовые, малиновые, зеленые темные, зеленые травяные, зеленые светлые
◆ шелковые нитки: желто-коричневые
◆ ткани: для основы вышивки зеленоватая; для прокладки белая
◆ иглы: «синель» № 24, № 22, № 18; игла швейная
◆ пяльцы
◆ маленькие ножницы
◆ подрамник из плотного картона

Вышивальные швы:

◆ шов вприкреп,
◆ петельный шов,
◆ прямой стежок,
◆ прямой свободный стежок,
◆ прямой перекрученный стежок,
◆ прямой перекрученный стежок с прикрепкой,
◆ прямой стежок со смещением,
◆ ленточный стежок,
◆ свободный ленточный стежок,
◆ ленточный стежок со смещением,
◆ ленточный стежок перекрученный,
◆ укороченный ленточный стежок,
◆ шов «петля» с прикрепкой лентами («цветок»),
◆ шов «захват»,
◆ узелок «рококо»,
◆ колониальный узелок

Схема вышивки:

◆ см. стр. 73

Подготовка к вышивке

1. Подготовьте ткань для основы и прокладки и необходимые для вышивки ленты и нитки.

2. Перенесите рисунок вышивки на ткань-основу.

3. Закрепите ткань для основы и прокладки в пяльцах.

Вышивка

1. Орнаментальная основа. Толстой шелковой желто-коричневой ниткой вышейте орнамент в виде стилизованной решетки швом вприкреп.

2. Розовый вьюнок. Вышейте стебель вьюнка травяной зеленой шелковой лентой 2 мм прямыми перекрученными стежками.

3. На стебле в шахматном порядке расположите листья, выполнив их светлой зеленой шелковой лентой 4 мм ленточными, свободными ленточными и ленточными стежками со смещением.

4. В пазухах листьев и между ними вышейте цветки вьюнка розовой шелковой лентой 4 мм швом «петля» с прикрепкой лентами («цветок»).

5. Для нижних цветков выполняйте две прикрепки для каждой «петли»: первую, как обычно, а вторую в противоположном направлении свободным ленточным стежком.

Совет

Чтобы придать вышитым цветкам большее сходство с настоящими, изменяйте швы и стежки – пусть ваша фантазия подскажет вам самые интересные сочетания. Классические стежки можно выполнять по-разному: если вы сделаете стежок свободным или, наоборот, сильно затянете его, результат получится совершенно разный.

6. Буддлея. Вышейте стебель буддлеи зеленой травяной шелковой лентой 2 мм прямым перекрученным стежком с прикрепкой.

7. Листья буддлеи вышейте светлой зеленой шелковой лентой 4 мм свободными ленточными стежками и свободными перекрученными ленточными стежками.

8. Соцветие буддлеи вышейте сиреневой и фиолетовой шелковыми лентами 4 мм. Используйте укороченные ленточные стежки и колониальные узелки.

Совет

Цвета лент распределяйте в зависимости от воображаемой освещенности. Крупные колониальные узелки вышивайте в центре и в нижней части соцветия, а более мелкие укороченные ленточные стежки послужат прекрасным завершением пышной кисти буддлеи.

9. Белые цветы. Стебли цветов вышейте травяной зеленой лентой 2 мм длинными прямыми перекрученными стежками с прикрепкой.

10. Выполните парные листья травяной зеленой лентой 4 мм, используя ленточные, свободные ленточные и ленточные стежки со смещением. Под листьями расположите цветки, вышив их белой шелковой лентой 4 мм укороченными ленточными стежками.

11. Клематис. Бутоны клематиса вышейте малиновой шелковой лентой 4 мм узелком «рококо». Дополните бутоны парными ленточными стежками той же лентой.

12. Цветок клематиса вышейте той же лентой, выполняя ленточные и свободные ленточные стежки, выходящие из одной точки под небольшим углом друг к другу.

13. Околоцветники вышейте травяными зелеными шелковыми лентами, используя для чашечек шов «захват» выполненный лентой 4 мм, а для листиков свободные ленточные и ленточные перекрученные стежки, выполненные лентой 2 мм. Листья клематиса вышейте прямыми стежками темной зеленой лентой 4 мм.

Оформление работы

1. Снимите вышивку с пялец. Прогладьте основу горячим утюгом. Натяните основу на подрамник.
2. Вставьте готовую работу в рамку.

Гирлянда «Море цветов»

Легкость этой гирлянде придает оригинальное композиционное решение: зрительно рисунок разбит на две части. Массивная нижняя часть отделена от более легкой верхней вышитыми ветвями, выполненными в различных оттенках зеленого.

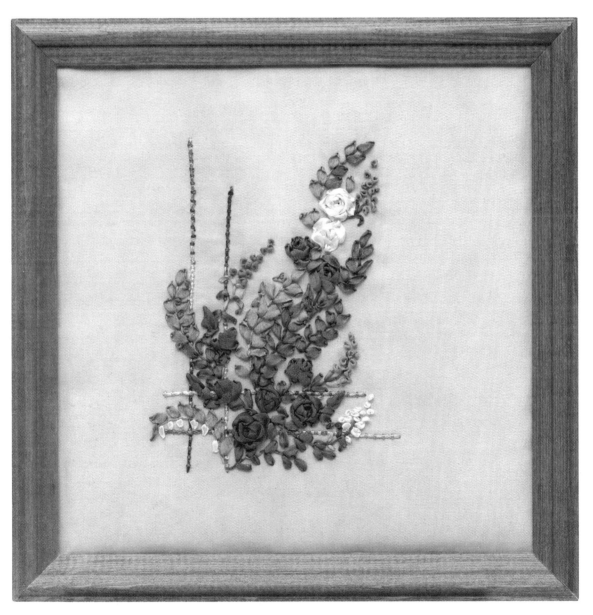

Материалы и инструменты:

◆ ленты шириной 2 мм:
зеленые травяные
◆ ленты шириной 4 мм:
белые, голубые, фиолетовые,
сиреневые, розовые, малиновые, зеленые темные, зеленые
травяные, зеленые светлые
◆ шелковые нитки:
желто-коричневые
◆ ткани: для основы вышивки
зеленоватая; для прокладки
белая
◆ иглы: «синель» № 24,
№ 22, № 18; игла швейная
◆ пяльцы
◆ маленькие ножницы
◆ подрамник из плотного
картона

Вышивальные швы:

◆ шов вприкреп,
◆ петельный шов,
◆ прямой стежок,
◆ прямой свободный стежок,
◆ прямой перекрученный
стежок,
◆ прямой стежок
со смещением,
◆ ленточный стежок,
◆ свободный ленточный
стежок,
◆ ленточный стежок
со смещением,
◆ укороченный ленточный
стежок,
◆ шов «захват»,
◆ узелок «рококо»,
◆ шов «бутон»,
◆ шов «паутинка»
(роза на каркасе)

Схема вышивки:

◆ см. стр. 74

Подготовка к вышивке

1. Подготовьте ткань для основы и прокладки и необходимые для вышивки ленты и нитки.

2. Перенесите рисунок вышивки на ткань-основу.

3. Закрепите ткань для основы и прокладки в пяльцах.

Вышивка

1. Орнаментальная основа. Толстой шелковой желто-
коричневой ниткой вышейте угловой орнамент швом
вприкреп.

Совет

*Попробуйте выполнить орнамент так, чтобы желтая часть
ниток попадала под нижнюю часть гирлянды, а верхние концы
линий орнамента были коричневыми.*

2. Розы в нижней части гирлянды. Для вышивания
роз возьмите фиолетовые и малиновые шелковые
ленты 4 мм.

3. Розы и бутоны слева вышейте малиновой лентой.
Для двух крупных роз выполните шов «паутинка».

4. Два крупных бутона вышейте той же лентой швом
«бутон». Дополните швы двумя парными свободными
ленточными стежками.

5. Маленькие бутоны вышейте узелками «рококо» той же лентой.

6. У основания бутонов темной зеленой лентой 4 мм выполните шов «захват» и той же лентой прямыми перекрученными стежками вышейте стебли.

7. Розы справа вышейте фиолетовой лентой. Раскрытую розу выполните швом «паутинка», крупный бутон – швом «бутон», а маленький – узелком «рококо».

8. Околоцветники вышейте швом «захват», используя темную зеленую ленту 4 мм.

9. Этой же лентой выполните мелкие листья роз ленточными и свободными ленточными стежками.

10. Белый цветок и ветка справа. Для листьев белых цветков используйте зеленые травяные шелковые ленты 4 мм.

11. Листья цветка и ветки вышейте прямыми стежками. Стебли выполните прямыми перекрученными стежками зеленой травяной лентой 2 мм.

12. Той же лентой выполните парные листья у основания соцветия, сделав прямые стежки со смещением.

13. На конце стебля выполните соцветие из белых цветков, делая укороченные ленточные стежки белой шелковой лентой 4 мм.

14. Голубой цветок справа. Стебель и листья голубого цветка выполните травяной шелковой лентой 2 мм, для листьев делая свободные ленточные, а для стебля прямые перекрученные стежки.

15. Цветки вышейте голубой шелковой лентой 4 мм укороченными ленточными стежками.

16. Ветка купены. Ветку купены слева выполните светлой зеленой лентой 4 мм: листья ленточными стежками со смещением, а стебель прямыми перекрученными стежками.

Совет

Чтобы розы получились разными, навивку нужно выполнять, затягивая ленту с различным усилием. Чем сильнее вы затягиваете ленту, тем более закрытым будет цветок. Если вы при навивке перекрутите ленту и затянете ее не слишком сильно, цветок получится полностью раскрытым.

Совет

Чтобы листья купены «смотрели» в одну сторону, смещайте проколы стежков также в одну сторону. Цветки будут выглядеть как маленькие капельки, если вы достаточно сильно затянете стежки, придерживая ленту, чтобы прокол не ушел на изнаночную сторону.

17. Цветки купены вышейте белой шелковой лентой 4 мм ленточными стежками.

18. Розовые цветы слева. Розовый цветок в середине вышейте, как голубой цветок справа. Для соцветия используйте розовую шелковую ленту 4 мм.

19. Листья нижнего розового цветка вышейте в верхней части светлой зеленой лентой 4 мм, а внизу травяной зеленой лентой 4 мм. Выполняйте парные свободные ленточные стежки.

20. Цветки вышейте розовой шелковой лентой 5 мм укороченными ленточными стежками.

21. Розы и листья вверху гирлянды. Швом «паутинка» вышейте три розы: две белой шелковой лентой 4 мм и одну, нижнюю, сиреневой шелковой лентой 4 мм.

22. Той же лентой выполните крупный бутон слева. Вначале вышейте серединку – маленькую розу на каркасе, а потом дополните ее несколькими свободными ленточными стежками, проложенными вдоль контура серединки.

23. Той же лентой вышейте два маленьких бутона узелками «рококо».

24. Выполните околоцветники швом «захват» травяной зеленой лентой 4 мм.

25. Вышейте несколько маленьких листьев вокруг роз ленточными и свободными ленточными стежками, используя светлую зеленую шелковую ленту 4 мм.

26. Ветку слева выполните травяной зеленой лентой 4 мм, вышивая листья ленточными стежками, а стебель – прямыми перекрученными.

27. Голубой цветок и листья вверху. Стебель и листья голубого цветка вышейте теми же лентами и стежками, что и у белого цветка справа.

28. Для соцветия используйте голубую шелковую ленту 4 мм, делая укороченные ленточные стежки.

29. Ветку с листьями вышейте, как для нижнего розового цветка слева. Для листьев с левой стороны используйте зеленую светлую, а для листьев с правой стороны – травяную зеленую шелковые ленты.

30. Ветви в центре. Левые ветви вышейте травяной зеленой шелковой лентой 4 мм, как ветку из п. 26.

31. Для ветки слева используйте светлую зеленую шелковую ленту 4 мм. Стебель вышейте прямыми перекрученными стежками, листья в верхней части – прямыми стежками со смещением, а в нижней части – свободными ленточными стежками.

Совет

Если у вас есть возможность, используйте в работе как можно больше оттенков зеленых лент – это не только обогащает фактуру вышивки, но и придает ей более естественный вид.

Оформление работы

1. Снимите вышивку с пялец. Прогладьте основу горячим утюгом.

2. Натяните основу на подрамник из плотного картона.

3. Вставьте готовую работу в рамку.

Гирлянда «Летний полдень»

В верхней части гирлянды вышита соломенная шляпка. Цветы как будто высыпаются из нее двумя разделенными каскадами. Такое композиционное решение позволило объединить совершенно разные формы в единое целое.

Материалы и инструменты:

◆ ленты шириной 2 мм: зеленые травяные, желтые
◆ ленты шириной 4 мм: белые, желтые, голубые, фиолетовые, розовые, малиновые, зеленые темные, зеленые травяные, зеленые светлые
◆ шелковые нитки: сине-зеленые, желто-зеленые, желто-коричневые
◆ ткани: для основы вышивки зеленоватая; для прокладки белая
◆ иглы: «синель» № 24, № 22, № 18; игла швейная
◆ пяльцы
◆ маленькие ножницы
◆ подрамник из плотного картона

Вышивальные швы:

◆ шов «вперед иголку»,
◆ шов вприкреп,
◆ шов «полупетля»,
◆ петельный шов,
◆ прямой свободный стежок,
◆ шов «петля» лентами,
◆ прямой стежок со смещением,
◆ шов «колос»,
◆ ленточный стежок,
◆ свободный ленточный стежок,
◆ ленточный стежок со смещением,
◆ ленточный стежок перекрученный,
◆ укороченный ленточный стежок,
◆ шов «петля» с прикрепкой лентами («листик»),
◆ узелок «рококо»,
◆ колониальный узелок,
◆ шов «бант»

Схема вышивки:

◆ см. стр. 75

Подготовка к вышивке

1. Подготовьте ткань для основы и прокладки и необходимые для вышивки ленты и нитки.

2. Перенесите рисунок вышивки на ткань-основу.

3. Закрепите ткань для основы и прокладки в пяльцах.

Вышивка

1. Орнаментальная основа. Толстой шелковой сине-зеленой ниткой вышейте орнамент из вертикальных линий швом вприкреп.

2. Шляпка. Тулью шляпки вышейте желто-коричневой шелковой ниткой швом вприкреп. Стежки первого слоя шва делайте недлинными и закрепляйте прикрепками по окружности и дугам.

3. Продолжайте вышивать увеличивающиеся дуги для полей шляпки, пока не выполните их до конца.

Совет

Начните вышивку с небольшого круга в верхней части тульи и постепенно переходите к дугам. Чем более прямой будет линия шва, тем длиннее можно выполнять стежки первого слоя. Пространство под букетом, украшающим шляпку, заполнять не нужно. Так вам будет легче вышивать цветы.

4. По контуру тульи проложите той же ниткой стежки шва «вперед иголку». Это подчеркнет границы деталей шляпки.

5. Темной зеленой лентой 4 мм вышейте листья ленточными и свободными ленточными стежками, располагая их по кругу.

6. Пространство между листьями заполните стежками шва «петля» лентами, используя белую шелковую ленту 4 мм.

7. Этой же лентой дополните букет, сделав несколько укороченных ленточных стежков.

8. Той же лентой выполните прямой стежок по нижней границе тульи и шов «бант» с длинными перевитыми концами.

9. Верхний каскад гирлянды. Голубой шелковой лентой 4 мм вышейте крупные бутоны швом «листик» и узелками «рококо».

10. Выполните листья, используя темную зеленую ленту 4 мм, ленточными, свободными ленточными и свободными ленточными стежками со смещением.

11. У края тульи разместите мелкие цветочки, вышив их белой шелковой лентой 4 мм укороченными ленточными стежками.

12. Розовой шелковой лентой 4 мм вышейте крупные цветки между листьями колониальными узелками.

13. Более мелкие цветки выполните укороченными ленточными стежками той же лентой.

14. Сине-зеленой шелковой ниткой в одно сложение швом «вперед иголку» вышейте веточки белых цветков.

15. Нижний каскад справа. Вышейте колоски швом «колос», используя желтые и зеленые травяные шелковые ленты 2 мм.

16. Стебли колосков и тонкие усики вышейте желто-зеленой шелковой ниткой в одно сложение швом «вперед иголку».

Совет

Укороченные ленточные стежки не затягивайте сильно. Располагайте их между стежками шва «петля» лентами и по краям цветочной композиции. Это придаст букету дополнительный объем. Вы можете вышить только летящие ленты банта, это облегчит композицию.

Совет

Укороченный ленточный стежок довольно универсален. Если вы затягиваете ленту сильно, он напоминает французский узелок, при более слабом натяжении ленты – колониальный узелок, а если ленту оставлять свободной – похож на маленькую розочку. Это позволяет одним стежком вышивать цветки самых разнообразных форм.

17. Листья колосков выполните прямыми стежками со смещением, используя травяную зеленую шелковую ленту 2 мм.

18. Травяной зеленой лентой 4 мм вышейте прямыми и ленточными стежками листья, расположенные поверх колосков.

19. Нижний каскад слева. Вышейте три крупных цветка в левой части гирлянды. Лепестки выполняйте свободными ленточными стежками, выходящими из одной точки. Для левого нижнего цветка используйте фиолетовую, а для двух других – малиновую шелковые ленты 4 мм.

20. Серединки цветков выполните желтой шелковой лентой 2 мм укороченными ленточными стежками.

21. Светлой зеленой шелковой лентой 4 мм выполните листья в верхней части. Используйте стежки: ленточный, свободный ленточный, ленточный перекрученный и ленточный со смещением.

22. Вышейте мелкие розовые, фиолетовые, малиновые и белые цветки укороченными ленточными стежками, используя шелковые ленты 4 мм соответствующих цветов.

23. Сине-зеленой и желто-зеленой шелковыми нитками в одно сложение вышейте тонкие веточки швом «полупетля».

Оформление работы

1. Снимите вышивку с пялец. Прогладьте основу горячим утюгом.

2. Натяните основу на подрамник из плотного картона.

3. Вставьте готовую работу в рамку.

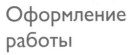

Корзина «Стрекоза»

Оживить цветочный мотив, придать ему дополнительное «движение» можно, вышив бабочку или, как в этой работе, летящую стрекозу. Такой небольшой мотив позволит уравновесить композицию.

Материалы и инструменты:

◆ ленты шириной 2 мм: желтые
◆ ленты шириной 4 мм: белые, желтые, голубые, сиреневые, малиновые, зеленые темные, зеленые травяные, зеленые светлые
◆ шелковые нитки: желто-коричневые
◆ ткани: для основы вышивки зеленоватая; для прокладки белая
◆ иглы: «синель» № 24, № 22, № 18; игла швейная
◆ пяльцы
◆ маленькие ножницы
◆ подрамник из плотного картона

Вышивальные швы:

◆ шов «вперед иголку»,
◆ шов вприкреп,
◆ шов «полупетля»,
◆ шов «вперед иголку» с навивкой,
◆ петельный шов,
◆ прямой стежок,
◆ прямой свободный стежок,
◆ прямой перекрученный стежок,
◆ шов «петля» лентами,
◆ ленточный стежок,
◆ свободный ленточный стежок,
◆ ленточный стежок со смещением,
◆ укороченный ленточный стежок,
◆ шов «петля» с прикрепкой лентами («цветок», «листик»),
◆ шов «ягода» (крест объемный),
◆ цветок из собранной ленты

Схема вышивки:

◆ см. стр. 76

Подготовка к вышивке

1. Подготовьте ткань для основы и прокладки и необходимые для вышивки ленты и нитки.

2. Перенесите рисунок вышивки на ткань-основу.

3. Закрепите ткань для основы и прокладки в пяльцах.

Вышивка

1. Корзина. Толстой шелковой желто-коричневой ниткой швом вприкреп вышейте нижнюю часть корзины.

2. По нижнему и верхнему краям корзины проложите по одному шву «вперед иголку» с навивкой, используя ту же нитку.

3. Этим же швом вышейте ручку корзины.

4. Цветы слева. Вышейте листья и стебель желтого цветка вверху светлой зеленой шелковой лентой 4 мм. Для листьев делайте свободные ленточные стежки, а стебель выполните прямыми перекрученными стежками.

5. На конце стебля выполните несколько укороченных ленточных стежков той же лентой, меняя ее натяжение.

6. Желтые цветки выполните желтой шелковой лентой 4 мм, выполняя шов «петля» с прикрепкой лентами: для нижних вариант «листик», а для верхних – «цветок».

7. В левом верхнем углу корзины выполните темной зеленой шелковой лентой 4 мм листья малинового цветка. Вышейте их свободными ленточными стежками и ленточными стежками со смещением.

8. Основания стежков располагайте чуть выше края корзины.

9. Этой же лентой вышейте стебли цветка прямыми перекрученными стежками.

10. Вышейте цветки малиновой шелковой лентой 4 мм швом «петля» с прикрепкой лентами. Для мелких используйте вариант «листик», а для более пышных – «цветок».

11. У основания цветков сделайте короткие прямые стежки темной зеленой шелковой лентой 4 мм.

12. Свисающую ветку с листьями вышейте травяной зеленой шелковой лентой 4 мм.

13. Листья выполняйте свободными ленточными стежками, а стебель – прямыми перекрученными.

14. На конце ветки выполните несколько укороченных ленточных стежков той же лентой.

15. Вышейте белые цветки укороченными ленточными стежками, используя белую шелковую ленту 4 мм.

16. Серединки цветков выполните теми же стежками, но возьмите желтую шелковую ленту 2 мм.

17. Светлой зеленой шелковой лентой 4 мм свободными ленточными стежками вышейте листья и дополните рисунок укороченными ленточными стежками.

18. Цветки справа. Выполните цветок из собранной ленты, используя голубую шелковую ленту 4 мм.

19. Серединки цветка вышейте желтой шелковой лентой 2 мм укороченными ленточными стежками.

20. Светлой зеленой шелковой лентой 4 мм вышейте листики голубого цветка. Для этого выполните несколько ленточных стежков, сильно натягивая ленту.

21. Листья по краю корзины вышейте той же лентой прямыми свободными стежками.

22. Вышейте листья сиреневых цветков прямыми свободными стежками темной зеленой шелковой лентой 4 мм.

Совет

Чтобы получить цветки разной величины, меняйте натяжение ленты в процессе вышивания. Чем сильнее натянута лента, тем меньше размер элемента, который вы вышиваете. При этом помните, что самые маленькие цветки располагаются на конце соцветия.

23. Закройте верхний край корзины, расположив листья – свободные ленточные стежки и отдельные укороченные ленточные стежки – на поверхности корзины.

24. Вышейте сиреневые цветки швом «петля» лентами.

25. Выполните серединки укороченными ленточными стежками, используя желтую шелковую ленту 2 мм.

26. Стрекоза. Вышейте крылья стрекозы парными прямыми свободными стежками. Для нижней пары крыльев используйте белую, а для верхней пары – голубую шелковые ленты 4 мм.

27. Грудку стрекозы вышейте швом «ягода» травяной зеленой шелковой лентой 4 мм. Той же лентой вышейте головку и туловище стрекозы, делая укороченные ленточные стежки с разным натяжением ленты.

28. Земля. Вышейте «землю» у основания корзины. Сделайте несколько прямых стежков и укороченных ленточных стежков, используя зеленые шелковые ленты различных оттенков.

Оформление работы

1. Снимите вышивку с пялец. Прогладьте основу горячим утюгом.

2. Натяните основу на подрамник из плотного картона.

3. Вставьте готовую работу в рамку.

Совет

Чтобы сделать ветку более выразительной, вы можете ввести дополнительный цвет, например, выполнить стебель и несколько укороченных ленточных стежков на его конце светлой зеленой шелковой лентой.

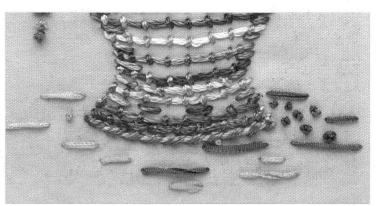

Корзина «Глициния»

Корзина в этой композиции вышита одним из вариантов шва «сетка». Яркий желто-коричневый фон корзины немного приглушен зеленью растений. Чтобы нижний край не был слишком активным, у основания корзины брошена небольшая ветка.

Материалы и инструменты:

◆ ленты шириной 2 мм: желтые
◆ ленты шириной 4 мм: белые, желтые, голубые, фиолетовые, малиновые, зеленые темные, зеленые травяные, зеленые светлые
◆ шелковые нитки: сине-зеленые, желто-зеленые, желто-коричневые
◆ ткани: для основы вышивки зеленоватая; для прокладки белая
◆ иглы: «синель» № 24, № 22, № 18; игла швейная
◆ пяльцы
◆ маленькие ножницы
◆ подрамник из плотного картона

Вышивальные швы:

◆ шов «вперед иголку»,
◆ шов вприкреп,
◆ шов «сетка»,
◆ шов «вперед иголку» с навивкой,
◆ петельный шов,
◆ прямой стежок,
◆ прямой свободный стежок,
◆ прямой перекрученный стежок с прикрепкой,
◆ шов «петля» лентами,
◆ ленточный стежок,
◆ свободный ленточный стежок,
◆ ленточный стежок со смещением,
◆ укороченный ленточный стежок,
◆ шов «петля» с прикрепкой лентами («листик»),
◆ колониальный узелок

Схема вышивки:

◆ см. стр. 77

Подготовка к вышивке

1. Подготовьте ткань для основы и прокладки и необходимые для вышивки ленты и нитки.

2. Перенесите рисунок вышивки на ткань-основу.

3. Закрепите ткань для основы и прокладки в пяльцах.

Вышивка

1. Корзина. Толстой шелковой желто-коричневой ниткой выполните вертикальные стежки первого слоя шва «сетка» на всей поверхности нижней части корзины.

2. Выполните второй слой шва «сетка», используя желтую шелковую ленту 2 мм.

Совет

Чтобы корзина получилась симметричной, обязательно сделайте нечетное количество стежков первого слоя. Тогда при переплетении вторым слоем шва вы получите одинаковый рисунок по краям корзины.

3. Ручку корзины вышейте швом «вперед иголку» с навивкой. Для первого слоя шва используйте толстую желто-коричневую шелковую нитку, а для навивки – желтую шелковую ленту 2 мм.

4. Глициния. Вышейте стебель глицинии зеленой травяной шелковой лентой 4 мм прямыми перекрученными стежками с прикрепкой.

5. Вышейте листья глицинии парными прямыми стежками, используя светлую и травяную зеленые шелковые ленты.

6. Веточки вышейте сине-зеленой шелковой ниткой в одно сложение швом «вперед иголку».

7. Этой же ниткой швом вприкреп вышейте усики глицинии.

8. Для цветков глицинии используйте фиолетовую шелковую ленту 4 мм.

9. Цветки в нижней части грозди вышивайте прямыми свободными стежками.

10. Для каждого цветка в верхней части грозди выполните по два стежка: вертикальный прямой свободный и свободный ленточный так, чтобы второй стежок «обвивал» первый.

11. Цветки внизу слева. Темной зеленой шелковой лентой 4 мм вышейте листья цветков. Верхние листья розетки выполните швом «листик», а нижние – ленточными стежками.

12. Располагайте листья по кругу, выводя их из одной точки.

13. Вышейте той же лентой свободными ленточными стежками листья белых цветков.

14. Вышейте крупный белый цветок, выполняя лепестки белой шелковой лентой 4 мм стежками шва «петля» лентами.

15. Мелкие белые цветки вышейте той же лентой укороченными ленточными стежками.

16. Для серединки крупного цветка и мелких желтых цветков используйте желтую шелковую ленту 2 мм. Выполните вышивку укороченными ленточными стежками.

17. Голубой шелковой лентой 4 мм укороченными ленточными стежками заполните пространство между листьями белых цветов.

18. Сине-зеленой шелковой ниткой в одно сложение швом вприкреп вышейте стебель крупного белого цветка.

19. Цветки внизу справа. Темной зеленой шелковой лентой 4 мм вышейте листья цветков по краю корзины, чередуя ленточные, свободные ленточные и ленточные стежки со смещением.

20. В пространстве между листьями вышейте укороченными ленточными стежками малиновые, желтые и голубые цветки, используя шелковые ленты 4 мм соответствующих цветов.

21. Цветки у основания корзины. Светлой зеленой шелковой лентой 4 мм вышейте листья ветки, лежащей у основания корзины. Чередуйте ленточные, свободные ленточные и ленточные стежки со смещением.

22. Вышейте малиновые, желтые и голубые цветки укороченными ленточными стежками и колониальными узелками.

Оформление работы

1. Снимите вышивку с пялец. Прогладьте основу горячим утюгом.

2. Натяните основу на подрамник из плотного картона.

3. Вставьте готовую работу в рамку.

Совет

Старайтесь располагать голубые цветки рядом с желтыми или на желтом фоне. Такое контрастное сочетание оживит вышивку.

Совет

Чтобы придать композиции многоплановость, обязательно расположите листья поверх корзины – так вы создадите впечатление цветков, лежащих перед ней. Чтобы еще больше усилить объем, вышейте цветки немного крупнее, чем на корзине. Используйте для самых крупных цветков колониальный узелок.

Венок «Весна»

Венок, как правило, симметричная композиция, но, чтобы немного облегчить зрительное восприятие, можно немного нарушить правила и выполнить, как в нашем случае, орнаментальную основу по контуру венка, а потом разместить на ней небольшое количество цветков.

Материалы и инструменты:

◆ ленты шириной 2 мм: зеленые травяные, желтые
◆ ленты шириной 4 мм: белые, желтые, голубые, фиолетовые, сиреневые, розовые, малиновые, зеленые темные, зеленые травяные, зеленые светлые
◆ шелковые нитки: желто-коричневые
◆ ткани: для основы вышивки зеленоватая; для прокладки белая
◆ иглы: «синель» № 24, № 22, № 18; игла швейная
◆ пяльцы
◆ маленькие ножницы
◆ подрамник из плотного картона

Вышивальные швы:

◆ шов «ромб»,
◆ шов вприкреп,
◆ петельный шов,
◆ французский узелок,
◆ прямой стежок,
◆ прямой свободный стежок,
◆ шов «петля» лентами,
◆ прямой перекрученный стежок,
◆ прямой перекрученный стежок с прикрепкой,
◆ ленточный стежок,
◆ свободный ленточный стежок,
◆ ленточный стежок со смещением,
◆ ленточный стежок перекрученный,
◆ укороченный ленточный стежок,
◆ шов «петля» с прикрепкой лентами («листик», «цветок»),
◆ шов «захват»,
◆ колониальный узелок,
◆ узелок «рококо»

Схема вышивки:

◆ см. стр. 78

Подготовка к вышивке

1. Подготовьте ткань для основы и прокладки и необходимые для вышивки ленты и нитки.

2. Перенесите рисунок вышивки на ткань-основу.

3. Закрепите ткань для основы и прокладки в пяльцах.

Вышивка

1. Орнаментальная основа. Толстой шелковой желто-коричневой ниткой выполните швом вприкреп орнаментальную основу, повторяющую контур левой части венка. В правой части проложите только начало основы сверху.

2. В середине выполните шов «ромб» той же ниткой.

3. Правая часть венка, верх. Светлой зеленой шелковой лентой 4 мм вышейте листья ленточными и свободными ленточными стежками.

4. Листья кислицы вышейте травяной зеленой лентой 4 мм свободными ленточными стежками и ленточными стежками со смещением. Группируйте листья по три, выводя стежки из одной точки.

5. Вышейте цветки и бутоны кислицы, делая по 1–2 ленточных и свободных ленточных стежка белой шелковой лентой 4 мм.

6. Зеленой травяной шелковой лентой 2 мм выполните шов «захват» у основания цветков и бутонов кислицы.

7. Добавьте несколько укороченных ленточных стежков голубой шелковой лентой 4 мм.

8. Той же лентой прямыми перекрученными стежками вышейте стебельки цветка.

9. Правая часть венка, низ. Прямыми перекрученными стежками с прикрепкой вышейте стебель желтого цветка.

10. Светлой и травяной зелеными шелковыми лентами выполните листья цветка швом «листик».

11. Соцветие выполните желтой шелковой лентой 4 мм колониальными узелками и укороченными ленточными стежками.

Совет

В этом соцветии цветки примерно одного размера, поэтому стежки можно чередовать в любой последовательности.

Совет

Левая часть венка расположена ближе к зрителю. Поэтому старайтесь делать для ее элементов более пышные стежки.

12. Вышейте зеленой травяной шелковой лентой 4 мм листья незабудки свободными ленточными стежками и ленточными стежками со смещением.

13. Вышейте незабудки, используя голубую шелковую ленту 4 мм. Бутоны выполните узелком «рококо», а лепестки открытых цветков – свободными ленточными стежками.

14. Серединки незабудок вышейте желтой шелковой лентой 2 мм укороченными ленточными стежками.

15. Левая часть венка, верх. Светлой зеленой шелковой лентой 4 мм вышейте несколько длинных листьев прямыми перекрученными и ленточными перекрученными стежками.

16. Той же лентой прямыми перекрученными стежками выполните стебли цветков.

17. Вышейте фиолетовые цветки, выполняя лепестки прямыми стежками фиолетовой шелковой лентой 4 мм. Той же лентой вышейте несколько мелких бутонов укороченными ленточными стежками.

18. Серединки цветков выполните французскими узелками в 4–5 навивок, используя желто-коричневую шелковую нитку в одно сложение.

19. Вышейте еще несколько длинных листьев, используя для них травяную зеленую шелковую ленту 4 мм.

20. Вышейте цветки ириса. Вначале выполните 1–2 свободных ленточных стежка, а потом прямой свободный стежок, проведя его под основанием ленточных. Используйте для вышивки сиреневую шелковую ленту 4 мм.

21. Продублируйте прямой стежок желтой шелковой лентой 2 мм, сделав его чуть короче первого.

22. Дополните вышивку несколькими укороченными ленточными стежками, выполняя их сиреневой шелковой лентой 4 мм.

23. Выполните несколько французских узелков в 1–2 навивки толстой шелковой желто-коричневой ниткой.

24. Левая часть венка, низ. Светлой зеленой шелковой лентой 4 мм вышейте листья вверху. Используйте ленточные и свободные ленточные стежки.

25. Теми же стежками темной зеленой шелковой лентой 4 мм вышейте листья внизу.

26. Листья на конце выполните той же лентой швом «листик».

27. Розовой шелковой лентой 4 мм вышейте яркие цветки в середине. Более крупные цветки вышивайте колониальными узелками, а те, что помельче, – укороченными ленточными стежками.

28. Голубые цветки вышейте швом «петля» лентами и укороченными ленточными стежками, используя голубую шелковую ленту 4 мм.

29. Серединки цветков выполните укороченными ленточными стежками желтой шелковой лентой 4 мм.

30. Той же лентой вышейте цветки крокусов. Выполняйте по три свободных ленточных стежка, выходящих из одной точки для каждого цветка.

31. Крупные белые цветки вышейте, как голубые в правой части венка.

32. Малиновые цветки на конце вышейте малиновой шелковой лентой 4 мм швом «цветок» и укороченными ленточными стежками.

33. Дополните вышивку мелкими цветочками, вышив их укороченными ленточными стежками. Используйте ленты соответствующих цветов.

Оформление работы

1. Снимите вышивку с пялец. Прогладьте основу горячим утюгом.

2. Натяните основу на подрамник из плотного картона.

3. Вставьте готовую работу в рамку.

Совет

Чтобы крокусы выглядели более естественно, вначале выполните крайние лепестки, а потом средний, чтобы он частично перекрывал первые два.

Венок «Монограмма»

Часто вышивку лентами сочетают с монограммами – инициалами мастерицы или владельца работы. Самая выигрышная оправа для монограммы – венок.

Материалы и инструменты:

◆ ленты шириной 2 мм: зеленые травяные
◆ ленты шириной 4 мм: белые, желтые, фиолетовые, сиреневые, розовые, зеленые темные, зеленые травяные, зеленые светлые
◆ ленты шириной 13 мм: красные
◆ шелковые нитки: сине-зеленые, желто-зеленые, желто-коричневые
◆ ткани: для основы вышивки зеленоватая; для прокладки белая
◆ иглы: «синель» № 24, № 22, № 18; игла швейная
◆ пяльцы
◆ маленькие ножницы
◆ подрамник из плотного картона

Вышивальные швы:

◆ шов вприкреп,
◆ петельный шов,
◆ прямой стежок,
◆ прямой свободный стежок,
◆ прямой перекрученный стежок,
◆ прямой стежок со смещением,
◆ ленточный стежок,
◆ свободный ленточный стежок,
◆ ленточный стежок со смещением,
◆ укороченный ленточный стежок,
◆ шов «захват»,
◆ узелок «рококо»,
◆ шов «бутон»,
◆ шов «паутинка» (роза на каркасе),
◆ шов «листик»,
◆ шов «полупетля»,
◆ шов «ягода»

Схема вышивки:

◆ см. стр. 79

Подготовка к вышивке

1. Подготовьте ткань для основы и прокладки и необходимые для вышивки ленты и нитки.

2. Перенесите рисунок вышивки на ткань-основу.

3. Закрепите ткань для основы и прокладки в пяльцах.

Вышивка

1. Орнаментальная основа. Толстой шелковой сине-зеленой ниткой выполните основу венка в его нижней части швом вприкреп.

2. Выполните монограмму толстой желто-коричневой шелковой ниткой швом вприкреп.

3. Нижняя часть венка. Красной шелковой лентой 13 мм выполните прямые стежки поверх основы венка.

Совет

Прокладывайте стежки так, чтобы было похоже на стебли растений, обвитые лентой. Стежки можно прокладывать параллельно или немного менять их направление. Не затягивайте стежки слишком сильно.

4. Темной зеленой шелковой лентой 4 мм вышейте листья, располагая их между витками красной ленты.

5. Этой же лентой выполните по несколько крупных листьев, выходящих из-под верхних витков красной ленты, швом «листик».

6. Выполните несколько укороченных ленточных стежков поверх красной ленты и вокруг нее, используя белую и желтую шелковые ленты 4 мм.

7. Левая часть венка. Вышейте листья светлой и травяной зелеными шелковыми лентами 4 мм ленточными и свободными ленточными стежками. Располагайте листья согласно рисунку вышивки.

8. В верхней части венка вышейте фиолетовые цветки, используя для лепестков фиолетовую шелковую ленту 4 мм. Вышивайте лепестки свободными ленточными стежками.

9. Серединки вышейте укороченными ленточными стежками желтой шелковой лентой 2 мм.

10. Сиреневые цветки вышейте ленточными стежками, выходящими из одной точки. Используйте сиреневую шелковую ленту 4 мм.

Совет

Стежки затягивайте довольно сильно, придерживая каждый пальцами левой руки – так вы получите лепестки, немного свернутые по оси. Это добавит пышности цветку.

11. Желто-зелёной шелковой ниткой в одно сложение швом «полупетля» вышейте тонкие веточки.

12. На некоторых веточках швом «ягода» розовой шелковой лентой 4 мм вышейте мелкие шарики-плоды.

13. Добавьте отдельные укороченные ленточные стежки, используя цвета лент согласно рисунку.

14. Правая часть венка. Правую часть венка вышейте, как левую, за исключением розовых шариков-плодов.

15. Для тонких веточек используйте сине-зеленую шелковую нитку в одно сложение.

Оформление работы

1. Снимите вышивку с пялец. Прогладьте основу горячим утюгом.

2. Натяните основу на подрамник из плотного картона.

3. Вставьте готовую работу в рамку.

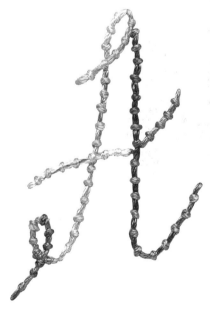

Приложение

Схемы вышивок

Букет «Люпины»

Цвета используемых лент

	белые
	фиолетовые
	сиреневые
	розовые
	малиновые
	зеленые темные
	зеленые травяные
	зеленые светлые
	красные

Букет «Весенние цветы»

Цвета используемых лент

	белые
	желтые
	фиолетовые
	сиреневые
	розовые
	малиновые
	зеленые темные
	зеленые травяные
	зеленые светлые
	красные

Букет «Розовая фантазия»

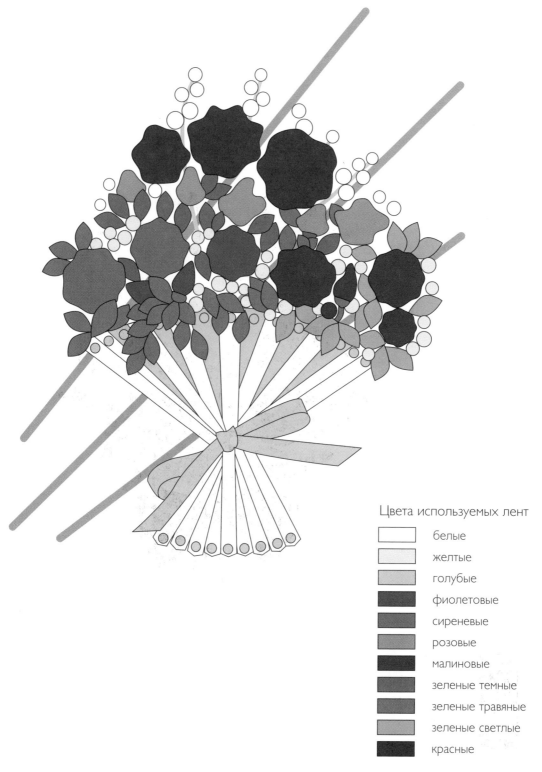

Цвета используемых лент

⬜	белые
⬜	желтые
⬜	голубые
⬛	фиолетовые
⬛	сиреневые
⬛	розовые
⬛	малиновые
⬛	зеленые темные
⬛	зеленые травяные
⬛	зеленые светлые
⬛	красные

Гирлянда «Клематисы»

Цвета используемых лент

- ☐ белые
- ■ фиолетовые
- ■ сиреневые
- ■ розовые
- ■ малиновые
- ■ зеленые темные
- ■ зеленые травяные
- ■ зеленые светлые

Гирлянда «Море цветов»

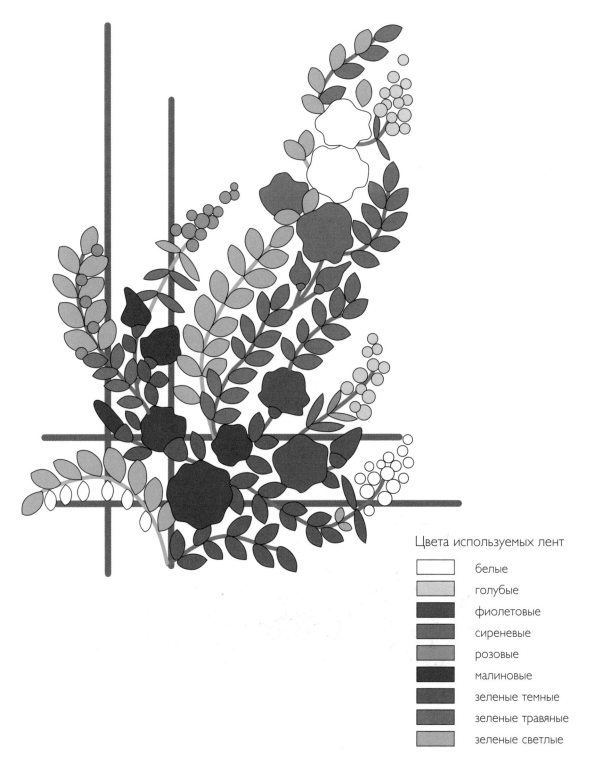

Цвета используемых лент

	белые
	голубые
	фиолетовые
	сиреневые
	розовые
	малиновые
	зеленые темные
	зеленые травяные
	зеленые светлые

Гирлянда «Летний полдень»

Цвета используемых лент

⬜	белые
⬜	желтые
⬜	голубые
⬛	фиолетовые
⬜	розовые
⬛	малиновые
⬛	зеленые темные
⬛	зеленые травяные
⬜	зеленые светлые

Корзина Стрекоза»

Цвета используемых лент

	белые
	желтые
	голубые
	сиреневые
	малиновые
	зеленые темные
	зеленые травяные
	зеленые светлые

Корзина «Глициния»

Цвета используемых лент

⬜	белые
⬜	желтые
⬜	голубые
⬛	фиолетовые
⬛	малиновые
⬛	зеленые темные
⬛	зеленые травяные
⬛	зеленые светлые

Венок «Весна»

Цвета используемых лент

☐	белые
☐	желтые
☐	голубые
■	фиолетовые
■	сиреневые
■	розовые
■	малиновые
■	зеленые темные
■	зеленые травяные
■	зеленые светлые

Венок «Монограмма»

Цвета используемых лент

	белые
	желтые
	фиолетовые
	сиреневые
	розовые
	зеленые темные
	зеленые травяные
	зеленые светлые
	красные

Издание для досуга

Зайцева Анна Анатольевна

ВЫШИВАЕМ ЛЕНТАМИ

Коллекция идей
«Мой прекрасный сад»

Ответственный редактор *Л. Меркулова*
Редактор *И. Трусова*
Младший редактор *А. Дорожкина*
Художественный редактор *Е. Анисина*
Корректор *Д. Горобец*

ООО «Издательство «Эксмо»
127299, Москва, ул. Клары Цеткин, д. 18/5. Тел. 411-68-86, 956-39-21.
Home page: **www.eksmo.ru**   E-mail: **info@eksmo.ru**

Оптовая торговля книгами «Эксмо»:
ООО «ТД «Эксмо». 142700, Московская обл., Ленинский р-н, г. Видное,
Белокаменное ш., д. 1, многоканальный тел. 411-50-74.
E-mail: **reception@eksmo-sale.ru**
По вопросам приобретения книг «Эксмо» зарубежными оптовыми
покупателями обращаться в отдел зарубежных продаж ТД «Эксмо»
E-mail: **international@eksmo-sale.ru**
International Sales: International wholesale customers should contact
Foreign Sales Department of Trading House «Eksmo» for their orders.
international@eksmo-sale.ru
По вопросам заказа книг корпоративным клиентам, в том числе в специальном
оформлении, обращаться по тел. 411-68-59, доб. 2299, 2205, 2239, 1251.
E-mail: **vipzakaz@eksmo.ru**
Оптовая торговля бумажно-беловыми
и канцелярскими товарами для школы и офиса «Канц-Эксмо»:
Компания «Канц-Эксмо»: 142702, Московская обл., Ленинский р-н, г. Видное-2,
Белокаменное ш., д. 1, а/я 5. Тел./факс +7 (495) 745-28-87 (многоканальный).
e-mail: **kanc@eksmo-sale.ru**, сайт: **www.kanc-eksmo.ru**
Полный ассортимент книг издательства «Эксмо» для оптовых покупателей:
В Санкт-Петербурге: ООО СЗКО, пр-т Обуховской Обороны, д. 84Е. Тел. (812) 365-46-03/04.
В Нижнем Новгороде: ООО ТД «Эксмо НН», ул. Маршала Воронова, д. 3. Тел. (8312) 72-36-70.
В Казани: Филиал ООО «РДЦ-Самара», ул. Фрезерная, д. 5. Тел. (843) 570-40-45/46.
В Ростове-на-Дону: ООО «РДЦ-Ростов», пр. Стачки, д. 243А. Тел. (863) 220-19-34.
В Самаре: ООО «РДЦ-Самара», пр-т Кирова, д. 75/1, литера «Е». Тел. (846) 269-66-70.
В Екатеринбурге: ООО «РДЦ-Екатеринбург», ул. Прибалтийская, д. 24а.
Тел. +7 (343) 272-72-01/02/03/04/05/06/07/08.
В Новосибирске: ООО «РДЦ-Новосибирск», Комбинатский пер., д. 3. Тел. +7 (383) 289-91-42.
E-mail: **eksmo-nsk@yandex.ru**
В Киеве: ООО «РДЦ Эксмо-Украина», Московский пр-т, д. 6. Тел./факс: (044) 498-15-70/71.
В Донецке: ул. Артема, д. 160. Тел. +38 (062) 381-81-05.
В Харькове: ул. Гвардейцев Железнодорожников, д. 8. Тел. +38 (057) 724-11-56.
Во Львове: ул. Бузкова, д. 2. Тел. +38 (032) 245-01-71.
Интернет-магазин: www.knigka.ua. Тел. +38 (044) 228-78-24.
В Казахстане: ТОО «РДЦ-Алматы», ул. Домбровского, д. 3а. Тел./факс (727) 251-59-90/91.
RDC-Almaty@eksmo.kz
Полный ассортимент продукции издательства «Эксмо»
можно приобрести в магазинах «Новый книжный» и «Читай-город».
Телефон единой справочной: 8 (800) 444-8-444.
Звонок по России бесплатный.

Подписано в печать 17.05.2012. Формат 84x108 $^1/_{16}$.
Печать офсетная. Усл. печ. л. 8,4.
Тираж 4 000 экз. Заказ 6363.

Отпечатано с электронных носителей издательства.
ОАО "Тверской полиграфический комбинат", 170024, г. Тверь, пр-т Ленина, 5.
Телефон: (4822) 44-52-03, 44-50-34, Телефон/факс: (4822) 44-42-15
Home page - www.tverpk.ru Электронная почта (E-mail) - sales@tverpk.ru

ISBN 978-5-699-57158-1